● CONTENTS ●

• CONTENTS •

SHOYO
5

명심해라!!
여기까지 온 이상 작년까지의 성적따윈 관계없어!!
눈앞의 적이 누구든지 그 녀석들을 쓰러뜨릴 뿐이다!!

지금 리드하는 것을 지키려고 생각하지 마라!
공격에 공격을 가해, 북산에게 상양의 힘을 보여주는 거다!!

예엣!!
가자!!
♯91 60seconds

상 양
전반
9:58
후반
북 산
46
40

서태웅!
강백호!

옛!
예.

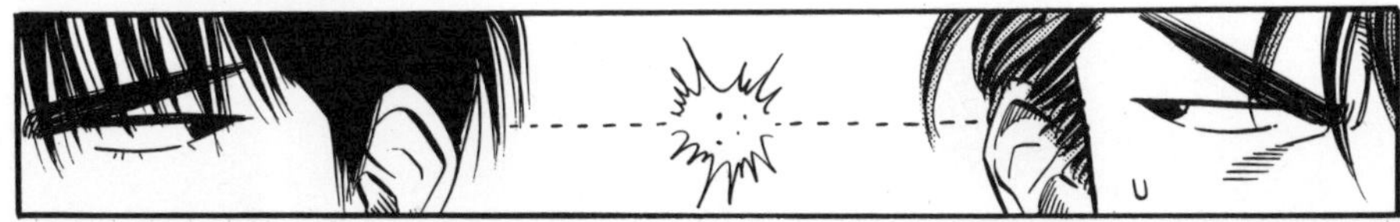

7번과 8번 녀석들에게 절대 당하지 마라!
!!
7번과 8번…

—!!

짜식들… 뭘 째려봐!
저 녀석들이….

녀석들은 너희들보다 크지만….
끄응…!!

너희들의
점프력이
한 수 위다.
제공권을
장악해라!!

성현준은
내게 맡겨라.
고릴라!
고릴….
주장.

우리가 더 강하게 나가면,
골밑에서의 파울이 쏟아질 거다.

현재 10번 강백호가 3개.
채치수가 2개, 서태웅이 1개입니다.

채치수, 서태웅, 강백호!
이 세 명 중 한 사람이라도 빠지면, 상대는 우리의 장신에 절대 대항할 수 없다.

우리들이 너무 점잖게 플레이를 했군….
으응…!!
좋아…!!

권혁이는
코트에서
더 자신을
가져라.

……

권혁이는
너무
점잖은 게
흠이야…
욕심이
없어.
팀의 주역이
될 수 있는
실력을
갖추고
있으면서도…

하아

……

3년간…
그 누구보다도
열심히 연습해온
권혁인데….

수겸아!
정대만은 내가
※박스원으로
따라붙을게.
!

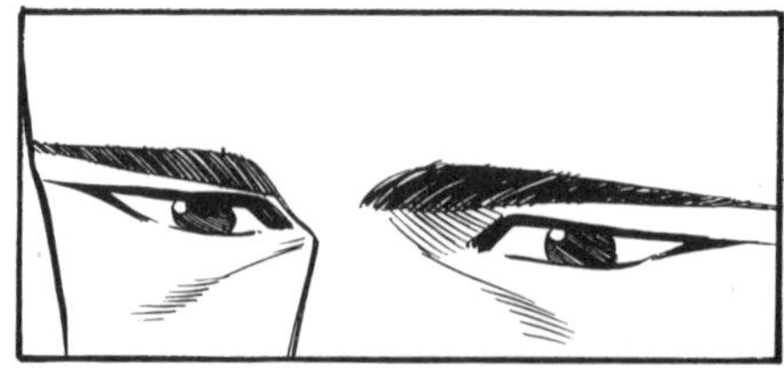

확실히
막을 수
있겠지?
상대는 중학
MVP다.

※ 박스원 : 상대 슈터나 특정 플레이어를 한 명이 맨투맨으로 마크하고 나머지 4명이 지역방어를 펼치는 수비방법.

내게 맡겨줘.

빙긋

권혁아…

……

자, 가잣!
앞으로 10분!

김수겸….
상양과 붙게 된다면 제가 저 녀석을 막을 수 있을까요, 덕규형.
막지 못하면 곤란하지.
UOZUMI
KOSHINO

쾅
쾅

쾅
쾅
쾅
쾅
쾅
북 산

김수겸….
강호 상양의 역사 속에서 1학년부터 스타팅 멤버로 뛴 건 저 녀석 한 명뿐이다.

1학년 여름부터 상양의 에이스로서 4회 연속 결승 진출.
계속 화려한 길을 걸어온 것처럼 보이지만….

아직껏 우승 경험은 없다.

왕자라
불리는
해남대
부속고의
괴물
이정환!
녀석이 매번
김수겸의 앞을
가로막았기
때문이다!!

김수겸!!
김수겸!!
김수겸!!

이 마지막 여름에
'타도 해남'을
목표로 한
김수겸의 결의는
보통이 아냐!!
그런 김수겸을
어떻게
쓰러뜨릴 거냐,
북산!!

와아아아아아
김수겸!!
김수겸!!
김수겸!!
아

와
엄청난
응원이구나!
김수겸이란
녀석,
굉장한
스타인가봐!
어?
이 녀석은
어디
간 거야?
아아아
북산
파이팅!!
쾅쾅
송태섭!
한나!

상대는
도내 톱을
다투는
가드야!

뭘 말하고
싶은지
알겠지?

……………

싱긋
저 녀석을
쓰러뜨리고
내가 톱이
된다!!

Good!
방긋

시작
합니다!

!

......

......!!

소연아!!

백호야!!
파울
3개야!
주의해!

삐익
북산
서태웅

태웅이도….
힘내….

소연아! 이 시합은 절대 퇴장당하지 않을게. 난 천재 강백호니까!
그리고 리바운드를 제압하고….

한나 선배, 현재 내 득점은?
2점.
서태웅은?
14점.

서태웅보다 더 득점 한다!
나쁜놈!

승리의포즈!!
지켜봐줘,
소연아!!
두—둥
화끈——

태웅군…♡
소연이의 시선

백호야~! 퇴장당하지 마라…!
안되겠어. 응원부터 상양에 지고 있잖아!!

엉?
뭐야!

이걸로.
우리도 뭔가 보여주자구!
?

상양!!
상양!!

아~항!! 그렇구나!!
근데 음료수가 꽉 차 있잖아?!

……

벌컥 벌컥 벌컥
마시자, 마시자, 마시자—!!
말도 안돼?!
그걸 전부?!

가자!!
파이팅!!

……
와아

……
와아
와아

가자!!
이번만 이기면 결승리그 진출이다!!
오오!!

헉
헉

정대만….
상당히 지쳤어…!!

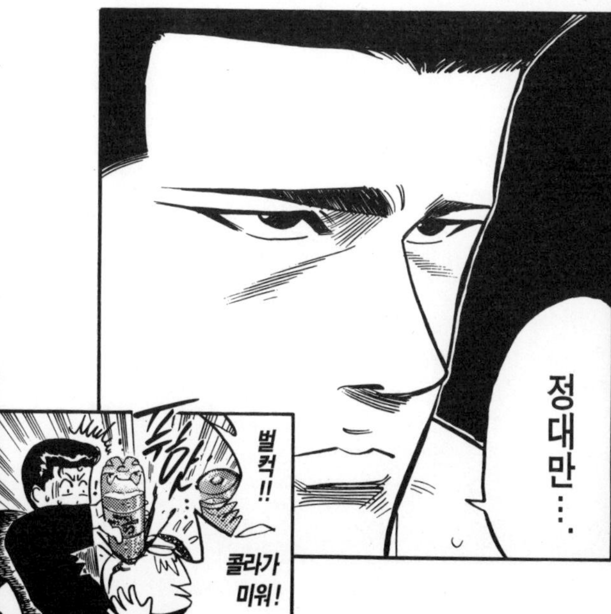
정대만….
벌컥!!
콜라가 미워!

주룩ㅡ
웅성
웅성
웅성
웅성

#92 승리로 이끌기 위해선

하아
하아
하아

선생님! 대만이를 조금 쉬게 하는 게 좋지 않을까요?
굉장히 지쳐 있어요…!

그래요…. 아무리 중학시절엔 수퍼스타였어도, 2년간의 공백에다 상대는 강호 상양….
지치는 게 당연해요…!
제가 준비 하겠습니다!!
벌떡

준호군.
대만군을 빼서는 안돼요.

선생님….

대만아!

상양의 수비를
흔들어 놓겠다!!
네게 패스할
테니까, 슛해라.
3점슛!

……
하아
하아

훗….
출세했구나,
채치수.
누구에게
지시하는
거냐?

흥….
너한테다!

내게도.
……!!

내가 2점, 서태웅이 14점…. 이건 아무리 생각해도 서태웅에게만 패스하고, 내겐 패스해 주지 않기 때문이라고밖에 생각할 수 없어!
차별이야!
내게도 패스해, 패스!

넌 득점에서 태웅이를 이길 생각하지 마!
……
10년은 더 걸릴 거야.
주제도 모르고…
뭣…!!
이게…!
욱!!

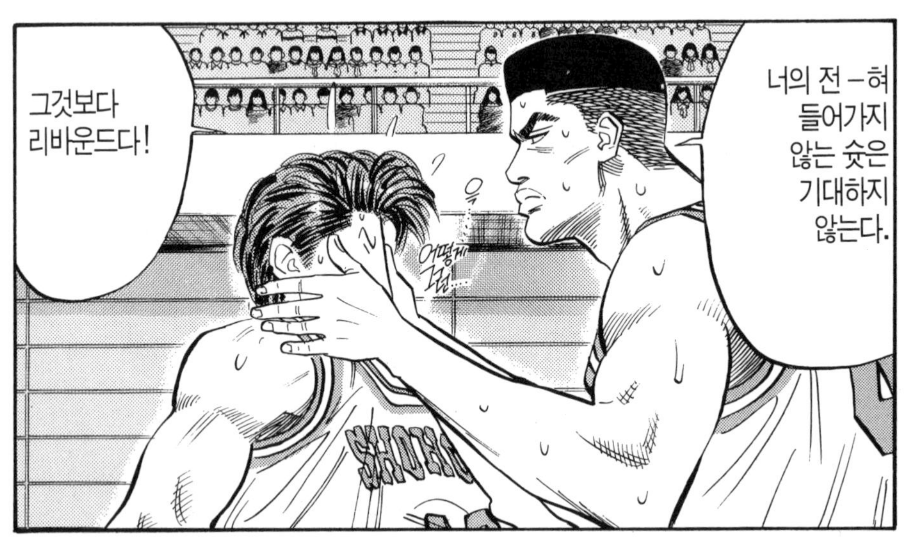
너의 전-혀 들어가지 않는 슛은 기대하지 않는다.
그것보다 리바운드다!

너의 리바운드는
쪼ㅡ금 기대하고
있으니까.

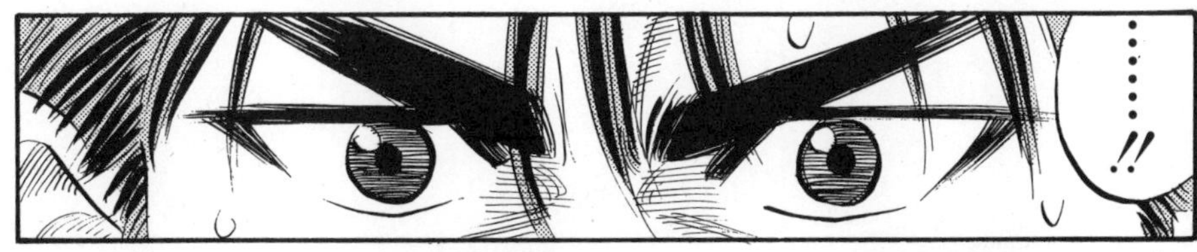
……!!

가자, 백호야!
송태섭.
탁!

……

확실히 잡아라.
헉
훅
헉

너의 퇴장도 상당히 기대하고 있다.
중얼……
뭐야, 임마?!

너의 리바운드는
이 시합으로
일약 도내
톱클래스가 됐다.

자, 하나 넣자!
좋아!!

수비는 조금 전 말한 대로다!
알았어!!

……

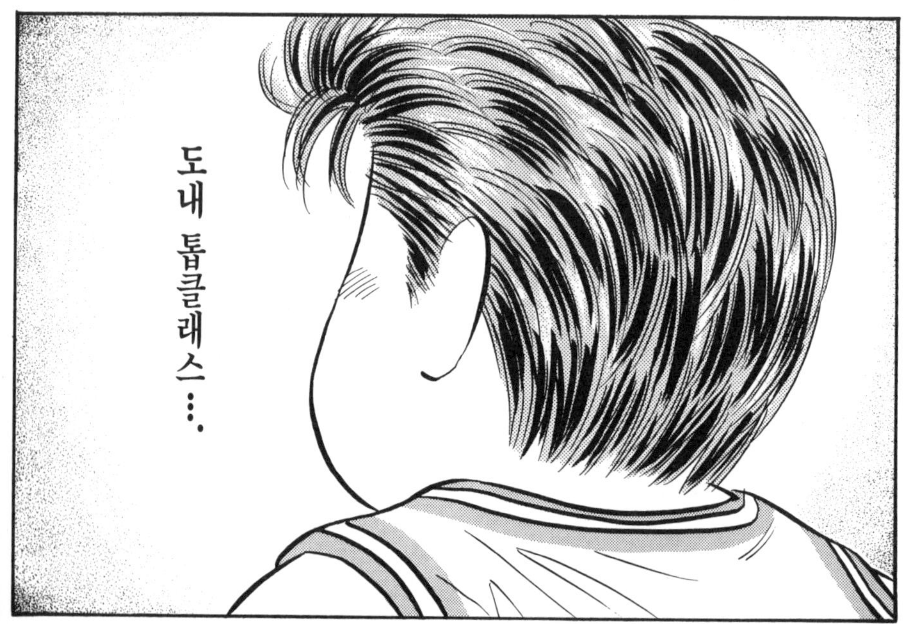
도내 톱클래스….

SHOHOKU
10

오잉?!
뭐냐, 저 자신에 가득찬 얼굴은!!
무슨 얘길 들은 게 분명해!!
'넌 천재야' 따위의 말!

이 시합은
내게
맡겨라!!
우와아아
아!!
디펜스!!
채치수!!

리바운드는 내가 잡는다!!
디펜스!!
끼익
자, 앞으로 10분이다!

!!

190cm
이상이
셋!!
저렇게 되면
제아무리
치수 선배라도
힘들어요!!

정대만!!
팟
약
이 녀석들을
분산시켜다오!

좋아!!
앗
3점슛이다ㅡ!!
정대만!!

후두둑
삐이이익
……!!

!!

권혁아!!

와아아아아
나이스 블로킹!!
장권혁!!

하아 하아!
빌어먹을!!
헉헉!
하아 하아!

박스원이다.
뭐?

그래….
상양의 수비는 지역방어지만, 6번 장권혁만은 정대만을 맨투맨으로 마크하고 있다.
슈터 정대만을 꽁꽁 묶어 놓겠다는 작전인가….
멋진 블로킹이었어.

저 6번….
눈에 띄진 않지만 쭉 좋은 움직임을 보여주고 있어요.

와아아아아
자, 힘내서 하나 막자!!
오오!!

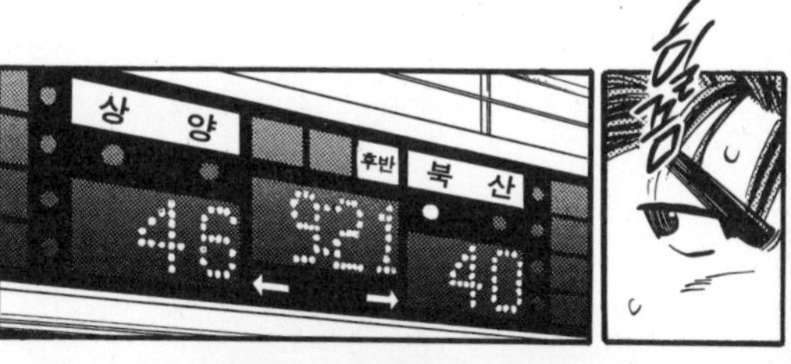
상 양
후반
북 산
46
921
40

휙
핫핫핫!
걱정 말라구, 대만군.
이 도내 톱클래스 남자 강백호가 이끄는 북산이 질 리가 없잖아―!!
?

도내 최고의 리바운더라 불리는 이 천재 강백호!
득점에서 서태웅에게 뒤진 채, 잠자코 있을 수야 없지!

하지만, 지금부터 14점을 따내는 건 좀 무리다….
중얼 중얼
그렇다면….

단 한방으로 서태웅을 꺾고, 동시에 상양도 잠재우는
그런 슛이 필요해….

그렇다면…
번뜩
디펜스-!!
디펜스-!!
쾅 쾅 쾅
북산
쾅 쾅
잘한다, 북산! 힘내라, 북산~!!
끄~억!!

대만형한테 박스원으로 마크맨이 붙었는걸…!!
마크맨을 떼놓기 위한 움직임 때문에 피로가 더 심해지고 있어!!
와
와
게다가 대만인 고교 시합은 이 대회가 처음이다.
아직 전후반 40분 모두 출장한 경험이 없어!!
헉헉!
헉헉!

이 시합의 열쇠를
쥐고 있는 건
강백호와 정대만.
이 두
사람이에요.
중얼
중얼…
한방으로…!
지금까지
이만큼 팽팽한
시합을 해올 수
있었던 것은
백호군의 예상외의
활약이 커요.
그의 리바운드로
골밑에서
신장의 핸디캡은
거의
없어졌어요.
하지만
그것만으론
이길 수
없어요.
승리로 이끌기
위해선 지금부터
대만군의 힘이
절대적으로
필요해요.
헉
헉
빌어먹을!!
떼어놓을 수가
없어.
빌어먹을!!

지쳐있어도…
그를 뺄 수는
없어요.
헉
헉
헉
이 녀석, 정말
중학교 때
내게 졌었던
녀석인가?!
도대체
누구지?!
이렇게
움직임이
좋은 녀석을
잊을리는
없는데…!!

넌 절대
날 막을 수
없어!

제길…!!

UMEZAWA
4

넌 날
이길 수
없어.
뭣?!
정대만….

슬램덩크밖에
없다!!

번쩍
슬램덩크밖에 없다!!

#93 정대만 한계설

내가 널
이길 수
없다고…!!
헉
헉
헉

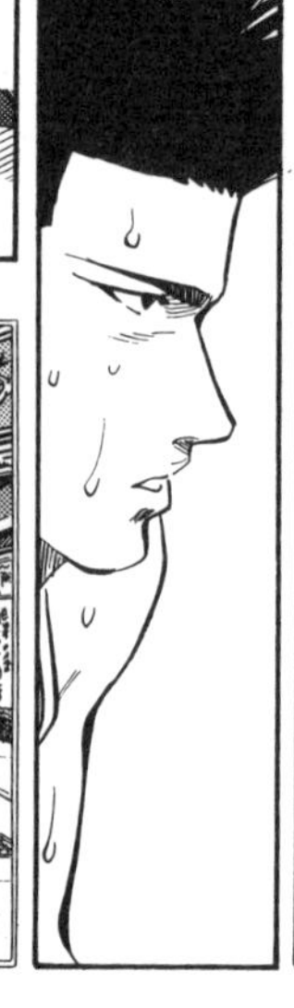

GAME
GAME
Jump

!!
아니,
저건…
정대만
-?!
CHIEKO
SPORTS

엉? 뭐야,
저 녀석!?
누구 아는
사이냐?
모르겠는데-.

뭘
쳐다보고
있어!!

!!

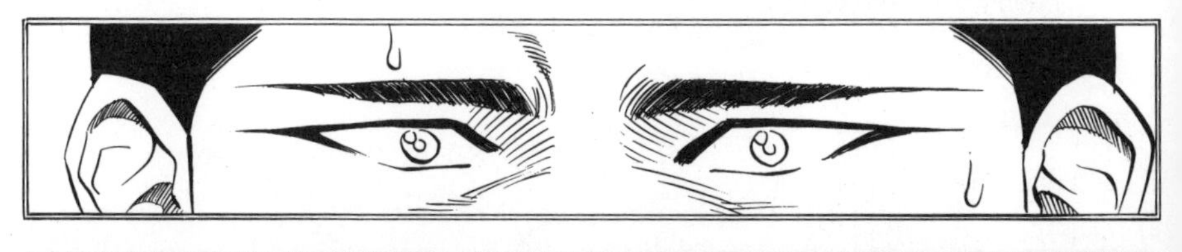

넌
날 이길 수
없다!!

널 이길
녀석따윈
없어!!
자신을
가져!!

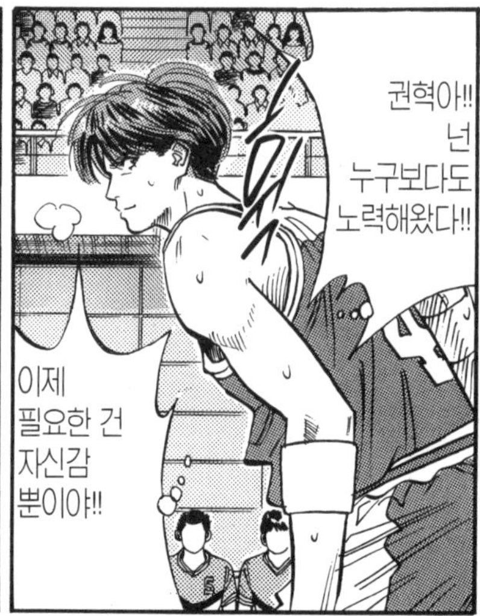
권혁아!!
넌
누구보다도
노력해왔다!!
이제
필요한 건
자신감
뿐이야!!

슬램덩크
밖에…
백호야!!
패스해!!

으!!

고교농구를
우습게 보지 마라,
정대만!!
……!!

네녀석이
시합전에 날
5점 이내로
묶어놓겠다는
헛소릴 했겠다!!
내가 전반에
몇점을
따냈는지
알기나 하냐!!

5점이다.
이제
그것으로
끝이다.

웃기지 마--!!

힘이 너무 들어갔고, 폼도 흔들렸다.
들어가지 않아!!
큭…!!
리바운드!!

—라고 하면 이 천재 강백호!!
우웃!!
성현준 대 강백호!
리바운드 쟁탈전!!

안으로만 들어
갈 수 없게 하면
이런 애송이에겐
지지 않아!!
윽!!

웃!!

어딜
들어가려구!

!!

파악
아니!!
리…
리바운드왕
강백호!!!
우와

내가 이런
너석한테—
!!
밑을 조심해,
강백호!!
덥
석
웃!
이런
형편없는
녀석에게—!

!!!
후웃--!!
약

앗?!

삑
삑
오펜스 파울!!
헌준아!!
와
헌준아!!
와
와
북산 10번!!
헌준아!!
4개…!!
………
헉
헉
레프리 타임!!

현준아, 괜찮아?!
와
준섭아!! 준비해!!
예…
스
윽
옛!!
지금 현준이가 빠지면 곤란해…!!
현준이는 골밑의 중심축이야…!!

SHOYO
5

씩
이걸로
강백호는
파울 4개다.

현준아!!
반드시 이겨서
결승리그에
진출하자!!
그러기
위해선
온 힘을 기울여
북산을 쓰러
뜨려야 해!!

그래!!

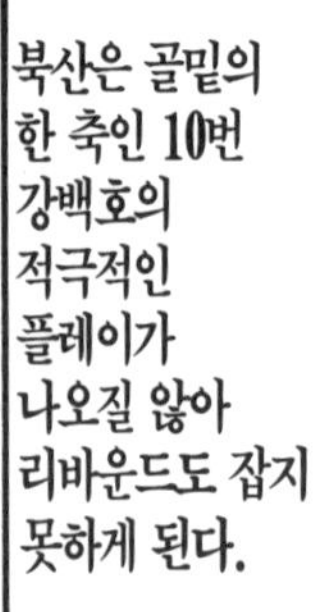
북산은 골밑의 한 축인 10번 강백호의 적극적인 플레이가 나오질 않아 리바운드도 잡지 못하게 된다.

앞으로 1개면 퇴장!
윽…
그것만은 꼭 피해야 돼…!!

북산도 11번 서태웅의 개인기로 반격하지만 추격의 실마리는 풀리지 않고,
높이에서 앞서는 상양은 인사이드에서 잇따라 득점.

딱
딱
딱
딱
멋지다, 멋지다! 성현준!!
딱
이 플레이를 기점으로 시합의 흐름은 상양쪽으로 기울어진다.
잘한다, 잘한다! 성현준!!

헉!
헉!
12점차!
헉!

게임 종료 5분을 남겨놓고 점수차는 점점 벌어지고 있었다-.
와아아아
상양
전반
휴식
후반
북산
58
4 : 56
46

와아아아아아
역시 상양은 강해!!
이제야 최강팀의 실력을 제대로 발휘하는구나!
승리는 이제 결정났어!!

역시 강해….
이제 결판난 것 같군요.

음….
그렇군.

아아….

권혁아! 슬슬 정대만도 한계다!!

하아.
하아.
쳇!

!
빌어먹을!
하아.
하아.
대만아….
……
대만이형….

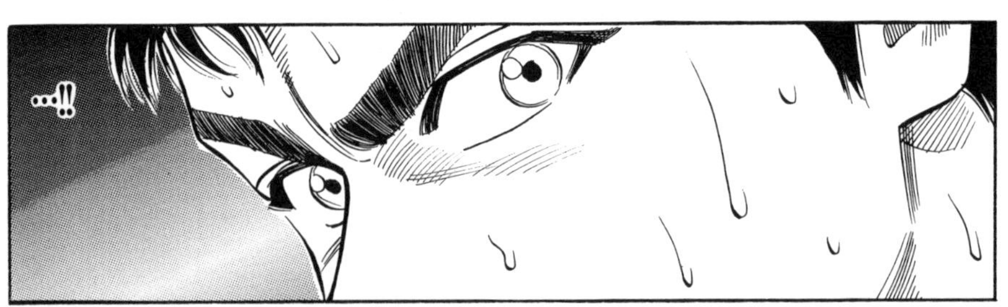
…!!

이것이 나의 모습인가 …!?

벤치에 있는 1학년들까지 걱정하고 있다.
나 정대만이 이것밖에 안되나?!

파
앙
!!

대만아!!

빠
박
파울 6번!!
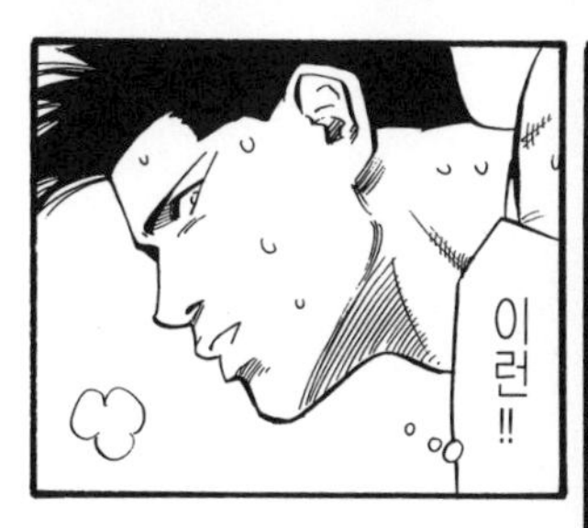
이런!!

괜찮아, 대만군?
대만이형.
항
항
항

그래…
기억해 내라….

…………

대만….
만지지 마!
엉?
!

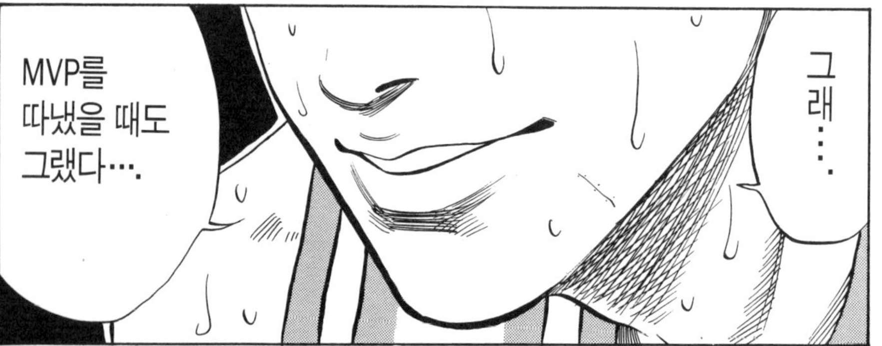
그래….
MVP를
따냈을 때도
그랬다….

이런 힘든
상황에서야
말로
난 더욱
불타오르는
녀석이었다
…!!
하아
하아
하아
SHOHOKU
14
정대만….

쿡
아아
휘청
휘청
......

※ 3점슛 때의 파울은 자유투 3개를 얻는다. 보통땐 2개.

#94 어리석은 바보

……!!

대만아…!!

상양
반
북산
58
4:43
48
상양
전반
휴식
후반
북산
58
4:43
49

3개 모두 성공이다!!
와
야
야
야
야
항
항
58 대 49!!
샛길로 샜어도 역시 수퍼스타는 수퍼스타 로군!!
캉
와와
캉
하지만 시간이 없어! 앞으로 4분 30초!!
9점차는 아무리 봐도 무리야!!
자아, 하나만 더!! 침착하게 움직여!!
오케이!!
힘내! 북산!!
이기면 결승 리그야!!
소연아!!

물러서지
마!!
막아!!

정대만!!
!!

정대만!!

와아
우왓!
북산은 올코트
프레싱이다!!
아
아
아
드디어
마지막
승부를
걸었어!!

당연하지.

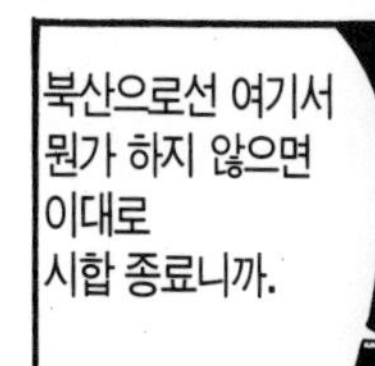
북산으로선 여기서
뭔가 하지 않으면
이대로
시합 종료니까.

저런
어처구니
없는
짓을…!
올코트
프레싱이라니!
대만이
넌
이미
지칠
대로
지쳤을
텐데…!!

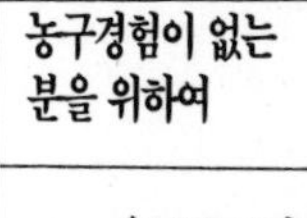
농구경험이 없는
분을 위하여
올코트 프레싱은
아주 힘든
거랍니다.

친절

우웃!!
척
파앗

자,
와라!

송태섭은
순간 장권혁이
움츠러든
것을 놓치지
않았다.
!!
송태섭!!
잡았다!!
북산볼이다!!

이 한 개는
아주
중요해!!
침착하게
공격해서
꼭 성공시켜야
한다!!

송태섭.

파
앗

어떻게
공격할까!!
안으로
파고들어가
치수 주장에게
연결시킬까?!

!!

아니!?

!!

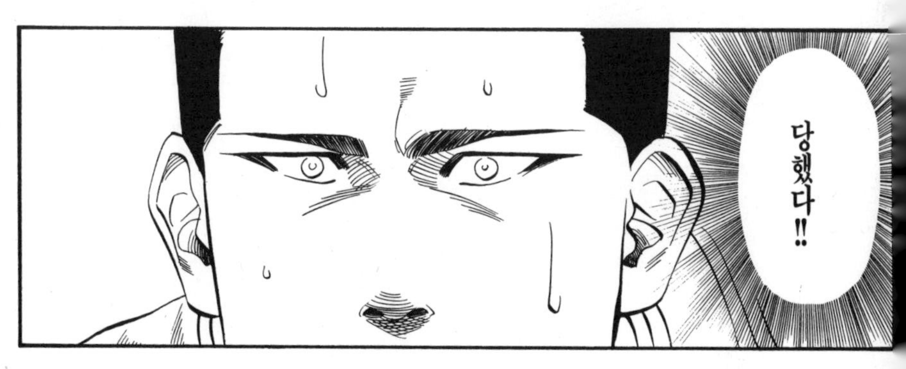
당했다!!

……………
리바운드!!

우와아얏!
들어갔다!!

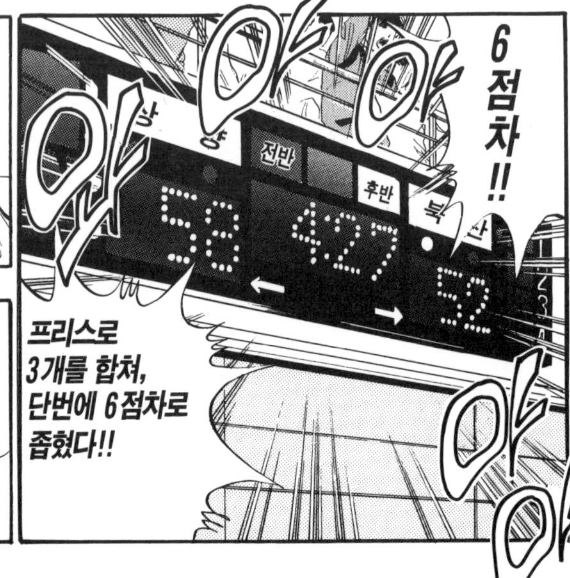

6점차!!
전반
후반
58 4'27 52
프리스로
3개를 합쳐,
단번에 6점차로
좁혔다!!

대만이형….

정대만….
이 상황에서
멋지게
해냈구나.

지지 않아….
헉!
헉!
헉!
절대 질 수 없다….
11점째….
크윽!!
디펜스!!
디펜스!!
자, 지금부터 너희들의 저력을 보여줘라!!
와
와
와
오오!!
여기서 이대로 쓰러질 순 없다!
내가 들어왔는데 8강 정도에서 끝날 것 같으냐!
하아!!
하아!
하아!
하아!

여기서
무언가
해내지
못하면….
BuSuwi
난 그냥
어리석은
바보에
지나지 않아.

와
와

하아.
하아.
하아.
질 수 없다!

우와앗!
김수겸의
3점슛이다!!

팍
그렇겐 안돼!!
왁
!!

아니!!
!!
송태섭!!

송태섭!!
속공이다!!
오케이!!
헤헤!
해냈다!!
모두 돌아가!!

하아.
하아.
하아.
하아.
대만아!!
힘내!!

!!
아!!
췟!!

대만이형!!
꽈악
탕
탕
아니!!
대만아!!

3점슛―!!
!!

음…….
멋진
폼이다….

들어갔다!!

!!
우와아아!
들어갔다
!!!
어떻게
된 거야!!
또, 북산이
추격해
왔잖아!!!

……
쿡
휘청
휘청
그만해

와
아
응?
아직 녹슬지
않은 것 같구나,
정대만!!
아
아
아
넌 어떻게
된 거냐,
채치수!
아직 고릴라
다운 대담한
플레이를
보지 못한 것
같은데.
와
웃기지
마라.
흥!!

#95 4파울

와-
와-
……!!
와-
MVP의 실력은 아직도 건재하단 건가…!!
정대만!!
와-
3점차!!
우와아
파이팅! 힘내자!!
와-
이제 어느 쪽이 이길지 전혀 모르게 됐어!
앞으로 4분!!
아
아
우린 할 수 있다!!
상양을 물리치고 결승리그에 진출하는 거다!!
아
와-
와-

3점차라면 정대만의 3점슛 하나로 동점이야!!
와와와와
정대만!!
정대만에게 맡겨라!!
예전엔 재수 없었는데 지금은 아주 멋진걸!!

정대만!
우와아아아
정대만!
정대만!!
정대만!
저 녀석들…
헉
헉
헉
헉

빌어먹을…
헉
헉

파울 4개가 된 강백호는 퇴장을 두려워해 격렬한 몸싸움을 피하고 있었다.

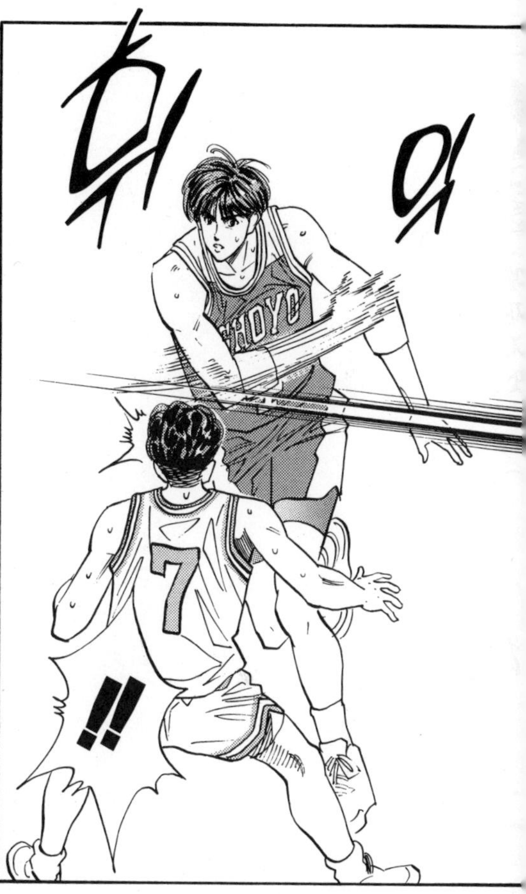

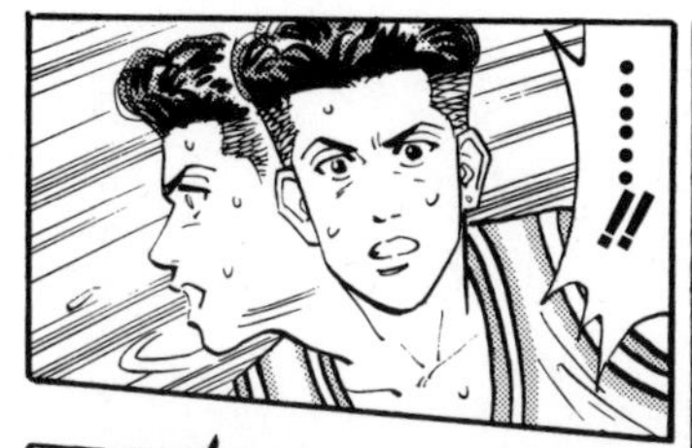

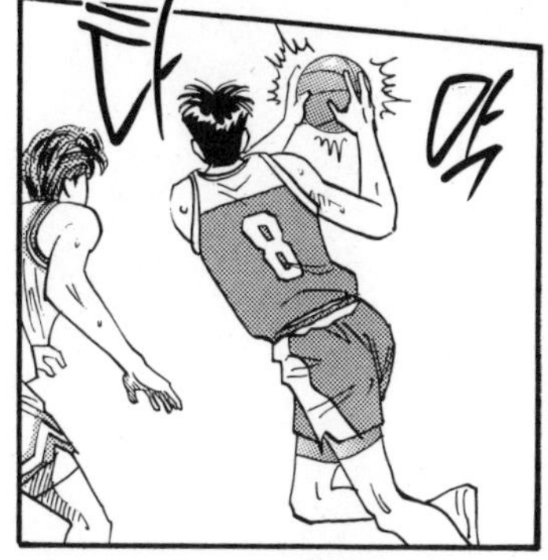

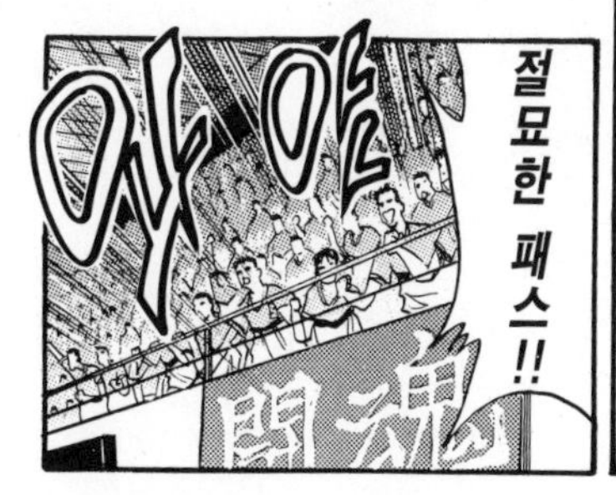

와아
절묘한 패스!!

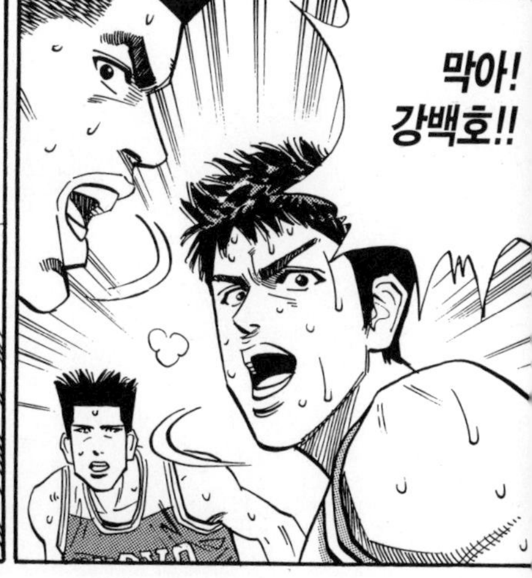

막아! 강백호!!

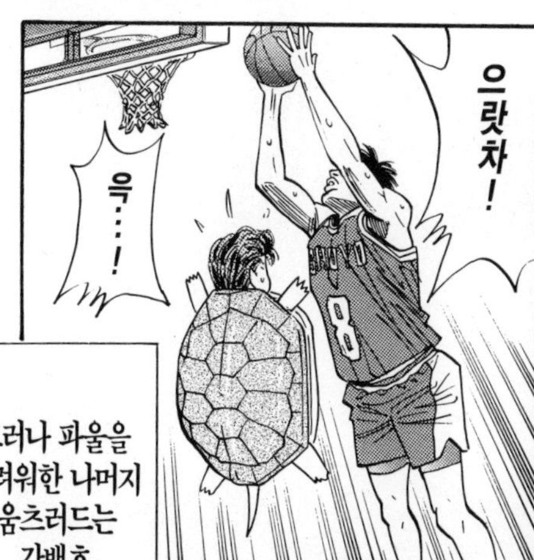

으랏차!
윽……!

그러나 파울을 두려워한 나머지 움츠러드는 강백호.

좋았어––!!
팍

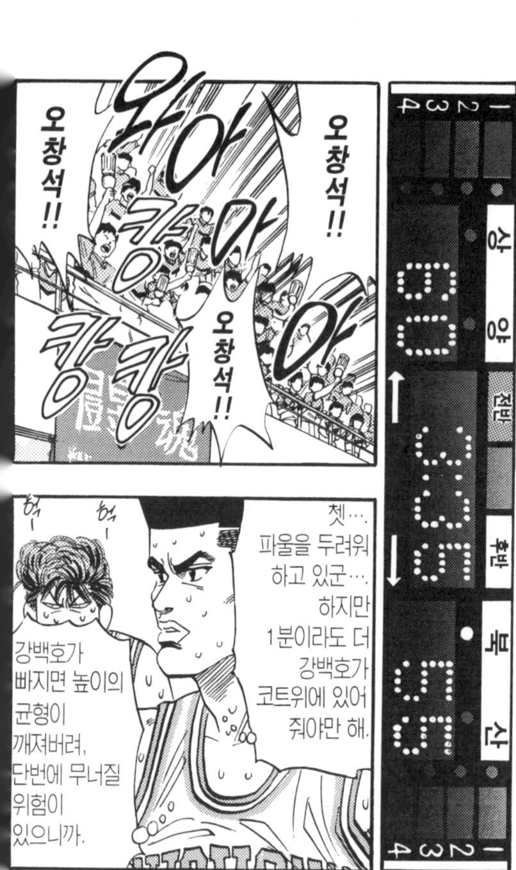
상양 60
전반 3:55 후반
북산 55
오창석!!
오창석!!
오창석!!
와아아
챗…. 파울을 두려워 하고 있군…. 하지만 1분이라도 더 강백호가 코트위에 있어 줘야만 해.
강백호가 빠지면 높이의 균형이 깨져버려, 단번에 무너질 위험이 있으니까.
헉
헉

강백호가 구멍이다!!
강백호를 노려!!

꿀꺽
와
와
자, 하나만 막자!!
자, 와라!!
……
와
………
백호야….
……
젠장…!!
젠장!!

휘익
와앗, 또다시 정대만이다!!
볼엔 닿지 않았지만 균형이 흐트러졌다!!
노골이야!!
헉!!
팍
와앗

와
4연속
3점
플레이!!
와아아아
또
들어갔다
ㅡ!!!
1골차!!
수비수가
전혀
막지를
못해!!
아
와
과연
중학MVP!!
정대만….
두려운
존재다…!!
와

준섭아,
저 정대만을
어떻게
생각하니.
같은 3점
슈터로서….
와
아
아
하아!
하아!
좋은 리듬으로
던지고 있어요.
좀처럼 막기
힘들겠는데요.
한번 불붙으면
멈출 줄 모르는
타입 같군요.
저랑 비슷한
타입이라
할 수 있겠죠.
하아!
아
하아!

――!!

패스!!
내게 패스해!!
윳!!

팟
이 녀석!! 내가 파울 4개라 손댈 수 없는 것을 악용해서…!!
하지만 그걸 알고 있으면서도 손댈 수 없는 나의 이 슬픈 운명…. 제길!!

막을 수 있으면 막아봐라!!

으이…!!

와
와
와
와
끄덕
끄덕
척
뭘 그리 겁 먹고 있냐, 강백호!
으랏차!!
악
윽!

턱
우왓!?
앗

삐!
콰당
……!!
파울!! 북산 11번!!
와
서태웅!!
아까웠어!
서태웅 녀석, 강백호 쪽을 노릴 거라는 걸 간파했군.
헉 헉
서태웅!
쳇!
크으… 이 애송이가!!
괜찮아?
프리스로!!
그러나 오창석은 프리스로 2개 모두 실패.
툭
리바운드!
웅

!!
아니!!
!!
서태웅!!

!!
앗!!

!!
수겸아!!

크윽….

……
헤이.
!!
!!
대만아!!

동점―!!!!
우와아아아아
남은 시간 2분 30초. 드디어 따라붙었다―!!!!
상양
전반
휴식
후반
북산
60
2:30
60

괜찮니, 대만아?
두

야…
으!

뭘 그렇게 쫄고 있나?

와
전혀
너답지
않잖아.
와
와

……!!
와
와
와

야,
똑바로
못 해

후반
남은 시간
2분 30초.
현재
스코어
60대60.
짝
짝
짝
짝
짝
짝
짝
짝
짝
SHOHOKU
HIGH SCHOOL
BASKETBALL
TEAM
후반
북 산
30
60
득점 20점
(이 중 3점슛 15점)
이라는 기록을
남기고 정대만은
결국 코트에서
물러난다.
#96 ROOKIES

죄송합니다.
선생님….
대만군….

자네가 있어서
다행이야….

선생님….
와
와
와
와

전혀
너답지
않잖아.
뭘 그렇게
쫄고
있냐?
있냐,
있냐,
있냐.

이야야압!!

크윽
크윽
아니!?
!?
!?
크윽

누가 쫄고
있다고?
헤에…
멍청이…!
바로
너.

너한텐 절대
지지 않아!!

말뿐인
녀석.

끄응…!
나왔다!!
북산 명물
고집통의
대립!
하필
이런
때에…

가자!!
반드시 이길 테다!!!
와-
와-
와-
와-
와-

부탁한다….
이겨다오….

파울 4개가 어쨌다는 거냐!!
난 천재니까 상관없어!!

백호야….

우와앗!!
리바운드!!!

쿠웅

호—오,
역시!!

나이스
리바운드!!
이걸로
10개째!!
멋지다,
강백호!!

저 점프력….
저건 서태웅과
나란히 도내
제일….
아냐,
전국에서도
저만큼
뛰어오를 수
있는 사람은
없어!!

수비!!

서태웅이다!!!
……

역전이다—!!!!
상양
전반
휴식
후반
북
60
1:51
62
마지막 판에 와서 드디어 북산이 역전했다—!!!!

리바운드엔 강백호!! 득점엔 수퍼신인 서태웅!!
이 신인 콤비는….

힘들겠군….
김수겸의 지배력이 미치지 못하고 있어….
또 성장했구나….
두 사람 모두!

학
학
학
야! 너무 멋있게 보이려고 노력하지 마! 서태웅!!
그건 네 얘기겠지.
첫…. 너, 파울이 무섭지 않냐!!
천재니까 괜찮아!!
훗!!
!!
첫!! 수겸아!!

나이스 커트!!
덥석
안경 선배!
타닷

파앗
우와아
아앗!!!

가라 — 강백호 — !!!
서태웅 잘 봐둬라!!
휙
하아.
겁
하아.
하아.

현준아, 파울해!!
프리스로라면 그 녀석은 들어가지 않아!!

우오오오!!

저것이—
뭣이여—

#97 우연이라고 해도

하아
하아
하아

우와아아
아-앗
!!!!
아아
아아

강백호!!

오펜스!!
차징!!

북산
10번!!

뭐라고?
공격자
파울
이라니!!!
그럼
노카운트
잖아!!!
우와아아아아
남은 시간
1분 50초.
강백호
퇴장—!!

와 아아
야!
아
아
응…?

아까웠다.
너로선….

……………
헝
헝
뚜벅
뚜벅

강백호!!
짝짝 짝짝
정말 멋졌다!!
수퍼 리바운더 강백호!!
짝짝
짝짝
짝짝
강백호!!
역시 백호형 이야!!
정말 대단한 사람 이라니까!!
와와
초특급 중요체크 인물이다!
내 눈은 틀리지 않았어!!

그러나 이 날의 가장 큰 환호성은
강백호!!
와아아아아아아
강백호!!
중요 체크다!!
강백호!!
강백호!!
강백호!!
강백호에게 보내졌다.

와아아아 아아아
강백호!!
강백호!!
강백호!!
강백호!!
강백호!!
……
굉장하군!!
강백호!!
강백호!!

굉장했어, 백호야….
나로선 정말 상상도 못했을 정도로….

갈수록….
갈수록 굉장해 지는구나….

강백호!
잘-했어!!
멋진 덩크를
성공시킨
느낌이
어때!?
파울이긴
했지만…

한나 선배…
그냥….
하아
하아
얼떨결에….

어머?
의외의
반응이네!
천재니까!
핫핫핫
기세등등

……
털썩
심장소리가
들린다.
하아
하아
하아
두근
두근
두근…
두근…

또 한 명….
엄청난 재목이 나왔군….
감독님.

김수겸이 사라지는 건가….
해남대 부속고교 감독
남진모.

북-산!!
북산!!
와아아야아
강백호의 슬램덩크(차징)는 관중이 북산에 열광하게 만들기에 충분했다.
북산!!
북-산!!
이런…. 지지 마라!!
상양!!
콰앙
상양!!
북-산!!
상양

좋아, 뒤는 우리에게 맡겨라!!!
SHOHOKU
SHOHOKU
4

그리고 최후의 기력까지 짜낸 북산은
남은 1분 50초
도내 2위의 강팀인 상양의 자존심을 건 맹공격에 끝까지 굴하지 않았다.
시합 종료~!!!

전반
후반
북산
0
62
상양이
졌다
—!!!!

이겼다!!!
우와아아
결승리그
진출이다!!

와아
산
아
아
와!
와!
와!
와!
와!
와!
와!

김수겸이 처음부터 선수로서만 전념할 수 있었다면…, 만약 확실한 감독이 상양에 있었다면….
이런 결과는 나오지 않았을지도 모른다….
2대 60으로
산 승리!!
와
와
와

감사합니다!!

김수겸

이것으로 이정환 · 김수겸의 시대는 끝났다….
이젠 군웅할거의 전국시대가 시작되겠군…!!

우와-아 백호가 드디어 해냈어!!
우연이라고 해도…
제1경기장 탈의실
쉬-잇!

응?
미안, 지금은 출입금지다!

……

쿨—
쿨—
쿨—
쿨—
드렁—

으~응?

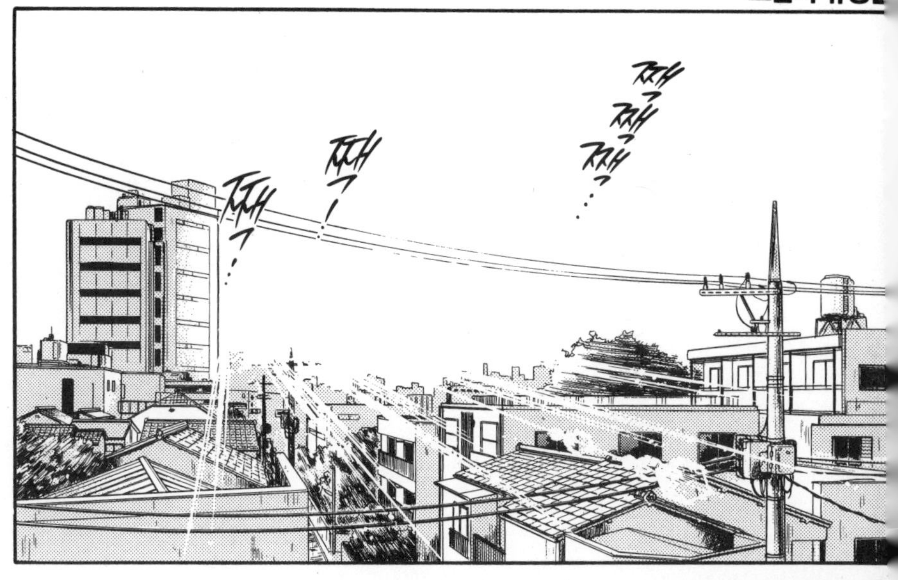
짹짹짹…
짹!
짹…

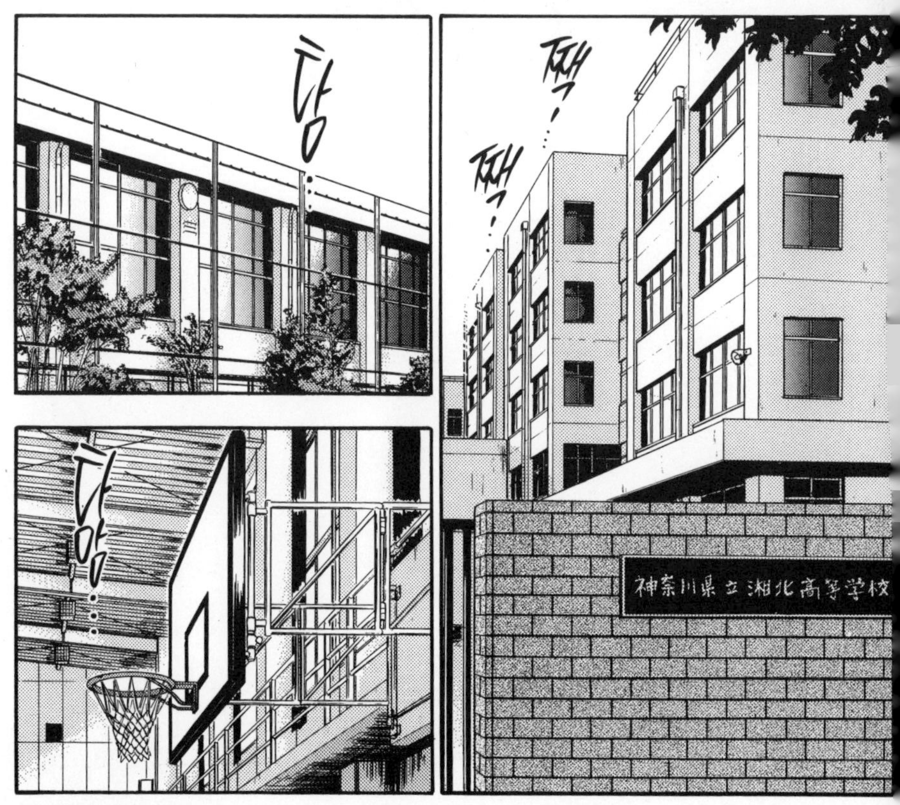
짹…
짹…
神奈川県立湘北高等学校
탕…
탕탕…

타앙…
타앙…
훗.
훗.
#98 오늘의 유명인

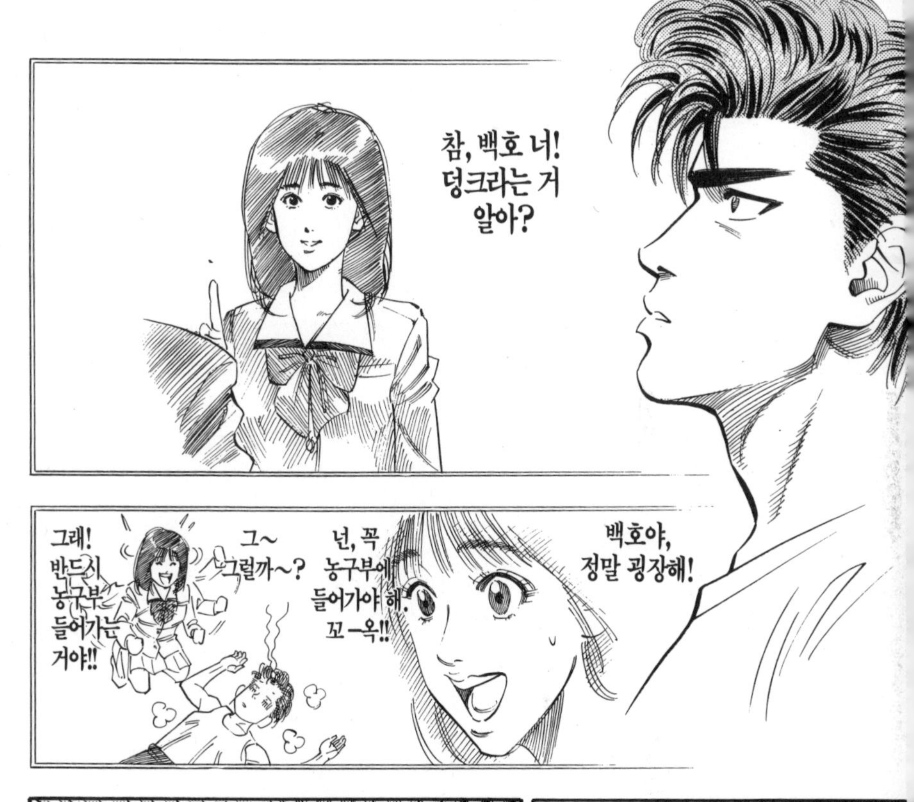
참, 백호 너!
덩크라는 거
알아?
백호야,
정말 굉장해!
넌, 꼭
농구부에
들어가야 해.
꼬-옥!!
그~
그럴까~?
그래!
반드시
농구부
들어가는
거야!!

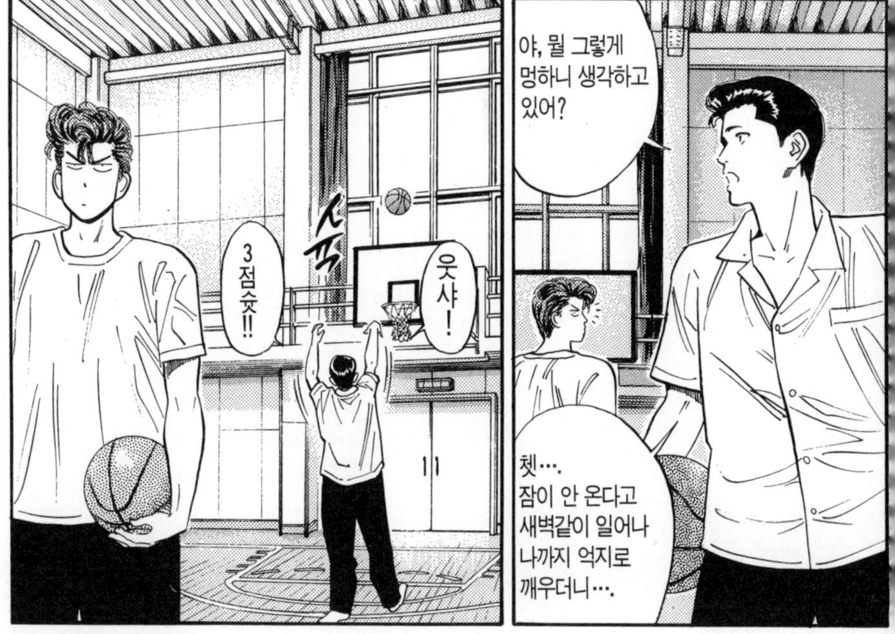
야, 뭘 그렇게
멍하니 생각하고
있어?
첫….
잠이 안 온다고
새벽같이 일어나
나까지 억지로
깨우더니….
웃샤!
슉
3점슛!!

상 양
전반
휴식
후반
북 산
60
1:50
62
와아아아아아
우오오오오!!
두두두
현준아, 파울해!!
SHOYO
프리스로라면 그 녀석은 들어가지 않아!!
두두두

응?
파
앗
부웅

쿠웅
와아!!
끼익...
끼익...
끼익...
......

호열아….
어제는 내가
역시….

굉장했었지…?

그 환호성이
들리지
않았나?

……….

……….

……….
통
탕…

나….
왠지 점점 자신이 생긴다….

하핫!
넌 천재잖아?

하하!

하—하하하핫!
내가 천재라서 정말 다행이야!

어머?!
앗!
소연아!!
고릴라!
소연이가 봐줬을까? 어제 내 그 덩크를….
웬일이냐? 이렇게 아침 일찍부터 연습을 다 하구….
5시합 연속 퇴장이 자극이 됐냐?
으…. 그쪽이야말로 이 새벽에….
난 매일 아침 하고 있어.
백호는 역시 결승리그에 대비해 각오가 단단히 되어있구나!!
나도 그 신문을 보니까 왠지 힘이 솟아나더라!!

소연아…!
엉?

이 녀석이 신문
따위를 읽을
위인이
아니잖아!!
아, 아직
못 봤나?

신문?
스윽

(15) 神奈川 18版 1992
고교종합
도에선
상양 패배하다
남자농구
호쾌한 덩크를
터뜨리는 북산
고그⑩번 강백호
선수 앞에
상양고 ⑦번 임
택중 선수
두—웅

웅성
웅성
응? 뭐지?
웅성
웅성
호외!
호외!
술렁
술렁
神奈川県立湘北高

뭔데?
아, 이거!
호외!

호외!
응, 아침 신문!
아, 나도 봤어!
굉장한걸. 농구부가 결승리그에 진출하다니.

어쨌든 굉장한 사진인걸!!
!
1학년 강백호…!!
웅성 웅성
이게 덩크라는 거지!
신문

신문에까지
나오다니
굉장해!!
이젠 유명인
인걸?
이
신문에 실린 사람이
나와 같은 학교에
다니다니,
왠지 이상해…!!
……

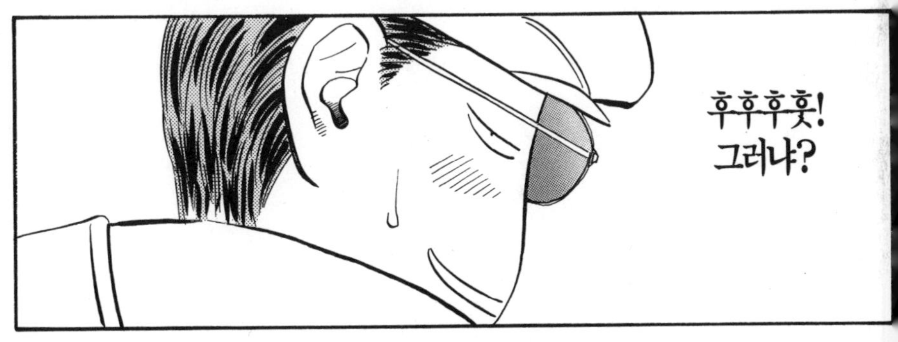
후후후훗!
그러냐?

그 녀석,
그냥 바보가
아니었구나.
제대로 농구를
하고 있었는
줄은 몰랐어.
…!!

뭐야,
이 녀석들이!
우와앗!
사…
사진의
유명인?!

쿠
웅
!!
거만 떨지 마!!
젠장... 나같은 유명인에게 감히...
웬 소란이지?
응? 이건 뭐야?
퍼
억
우웩!?

얌마,
서태웅!!
와앗!
농구부
최강 멤버가
다 모였다!!
이 5명이 모이면
엄청난
박력이….
굉장한걸.
이 멤버라면
이길 수
있어…!!

채치수!!
이번에야말로
전국대회에
나가줘라!!
뭐야…?
힘내라,
농구부!!
올해라면
갈 수
있어!!

척
영웅인 척은 혼자 다 하는군, 농구부!

어제도 또 퇴장 당했더구나, 강백호….
고작 이깟 걸로 퇴장당한다는 건 너무 어설픈 스포츠라고 생각하지 않냐?

유도부에 들어와라, 강백호!
지금이라도 늦지 않았어.

이 천재가 농구부를 우승으로 이끌 거야!!

오오오—!!
그리고 다음엔 TV에 나간다!
와와와
파이팅, 강백호!!
북산 우승!!
……
……!!

집합—!!!

자아, 드디어 결승리그예요.

A블록은 해남대 부속고가 150점으로 승리, C블록은 능남이 대승!
거기에 B블록의 북산, D블록의 무림고, 이 4개 고교가 결승리그에서 싸웁니다.

8강까지 올라온 팀을 상대로 150점이라니….
흥!
우리들 역시 상양한테 이겼잖아.

해남고와의 대결은 앞으로의 농구인생을 좌우할 정도로 힘든 싸움이 될 것입니다.

그래요, 백호군. 앞으로는 그런 마음가짐이 중요합니다.
영감님.
"이기고 싶다" 라는 마음가짐이 없다면 해남고와 싸울 수가 없어요.

……!!

이기고
싶습니까?

옛
!!!!

좋아요.
다음 상대는
해남대
부속고
입니다.

SLAM
슬램덩크 완전판 프리미엄
DUNK

드디어…
드디어
여기까지
왔다….
생애
처음
으로….

해남대
부속고와
싸울 수 있는
도전권을
손에 넣은
거다!!

SHOHOKU
#99 왕자에의 도전

OHOKU
14

◉ 결승리그 승패표 ◉

	해	북	능	무
해남대부속				
북 산				
능 남				
무 림				

6월 20일 9:30 AM
웅성
웅성
웅성
웅성

우와…!
아직 시합 30분 전인데 굉장한 인파인걸!!
주간 바스켓볼
편집부 기자, 박하진.

해남대부속
웅성
웅성

웅성
아무리 결승리그라지만, 고교시합에 이만큼 꽉 차는 것도 드문 일이군요, 하진 선배!
웅성
그만큼 양팀의 주목도가 높다는 거야, 재룡군!
웅성
PRESS

우선 해남대 부속고!! 여긴 더 설명할 필요도 없어. 재룡군도 알고 있지?
해남대부속
아뇨, 실은….

뭐야, 그럼 모른단 말야!?
죄… 죄송해요.
확실히 공부해 두라고 했을텐데! 자신의 일을 그렇게 얼버무릴 생각마!

정말 요즘 젊은 신입 사원은….
궁시렁 궁시렁
저걸 봐. 저 현수막을!
常勝

※상승:항상 이김. 싸울 때마다 이김.

과거 16년간 해남대 부속고는 전국대회 출전권을 한번도 놓친 적이 없어!!
그것이 왕자 해남이라고 불리는 이유이기도 하지!!

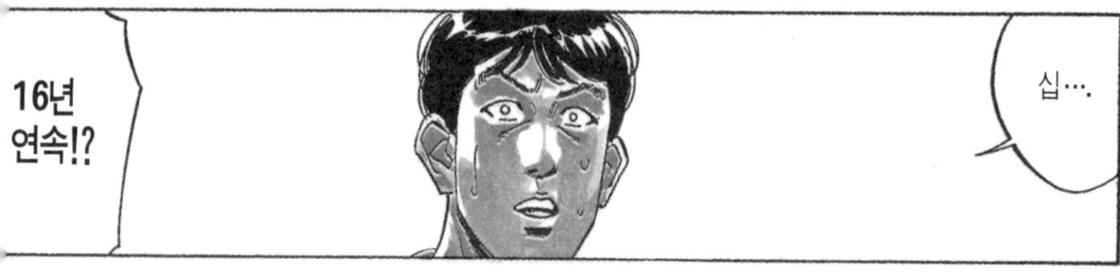
십….
16년 연속!?

최대의 라이벌인 김수겸이 이끄는 상양이 패배한 지금, 17년 연속 전국대회 출전이 틀림 없다는 게 대부분의 예상이야.
과연….
하지만 내 생각은 달라.

파란은 아직 있다고 생각해.

예?
상양을 극적으로 누른 북산…!

난, 아직
그들의 힘을
예측하지
못하겠어….
대체 얼마만큼의
힘을 가지고
있는지….

상양전에서의
그들은 100%의
실력이었는지…
120%였는지.
아니면 80%에
지나지 않았는지.
북 산
능남과의
연습시합 때는?

파란이
있다고 하면
그건 이번 대회
다크호스인
북산.
바로
이 시합이지!
중요 체크다.
박하진.
사실은 능남의 중요체크자,
경태의 누나.
파―판

끼익

오늘 상대가
상양이 아니라
북산이라니….
솔직히
좀 놀랍군.
끼익
끼익

해남대
부속고교
대기실

해남대
부속고교
대기실

어때?
땀 좀 흘렸나,
제군들?!
철
컥

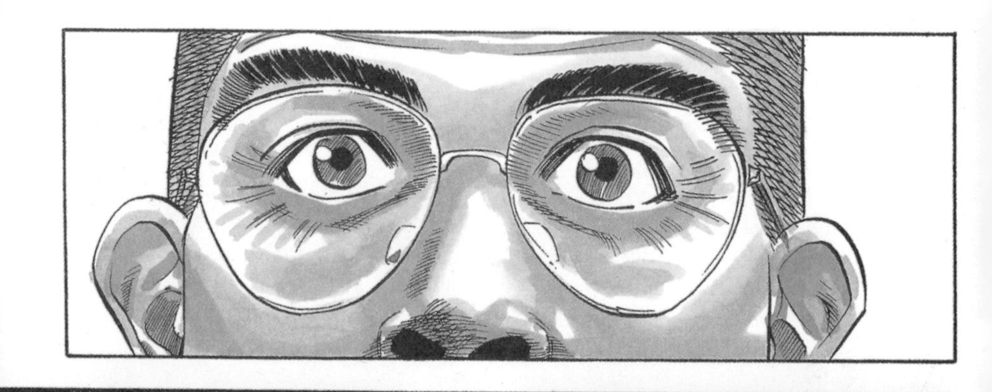

슈ㅡ!
하ㅡ
후ㅡ
하ㅡ

시합은
아직입니까?
감독님!
후ㅡ
하ㅡ
후ㅡ
하ㅡ

하핫!
서둘지 마라,
정환아!
아직 시간이
남았다.

너의 장점은
엘리트 의식에
젖어있지 않고
언제나 승리에 대한
강한 집착을
보이는 것이다.
정상에 있는 네가
가장 승리에
굶주려 있다니!

올해도 네가
최고다!
후—…
하—!

그리고
오늘 상대인
북산 말인데….
상양이
올라올 줄 알고,
아무런 데이터도
준비하지 못했다!!
와
하
하

크하하
하하!
괜찮아요!
데이터
같은 건 전혀
필요
없다구요!!
그렇죠,
준섭이형?!
응!!

북산고교
대기실.

……

해남을
구름 위에
떠있는
존재라고
생각하는가?

손을 뻗어도,
뛰어올라도,
우리들에겐 닿을 수
없는 존재라고
생각하는가?
……

성적으로 보면
확실히 그렇다.
과거의
성적으로 보면
해남과 우린
하늘과 땅
차이다.

하지만
난….

난 언제나
잠자기 전에
이 날을
생각해 왔다….
…………

북산이….

도내 왕자,
해남과 전국대회
출전을 걸고 싸우는
것을 매일밤
머릿속에 그리고
있었다.

1학년 때부터
계속 말이다.

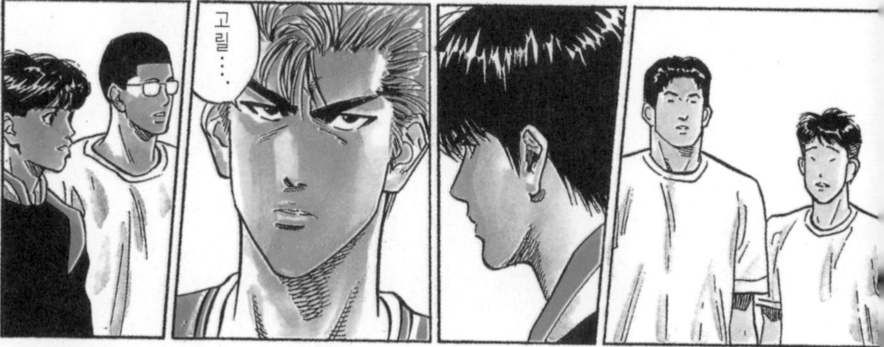
고릴…

반드시
이기자!!
파이팅!!

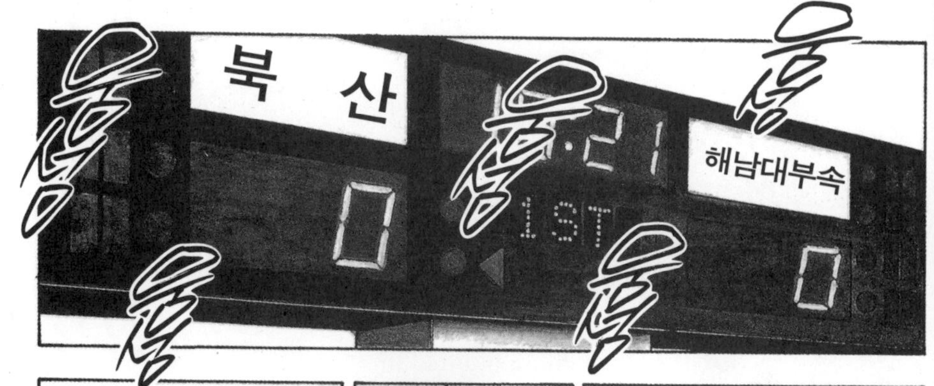
웅성
북산
웅성
21
1ST
웅성
해남대부속
0
0

어-이,
소연아!
여기야, 여기!!

어머!!

하하핫!
명당자릴
확보해 놨지!!

우와….
척
척
척
척
무섭게
생겼다!
뭐야!?

대만아….

좋아,
10분 전이다!!
중요
체크다!

나왔다!!!!
와아아아아아아
드디어 나왔다!!
해남이다!
북산이다!

와아아아아
혼들림없는 기둥
나왔다ㅡㅡ!!

해남이다!
웅성
수군
이정환!!
웅성
수군
웅성
수군
이봐,
안 보이잖아!!

와
아
카카캇!! 올해 해남은 사상 최강이다!!
아
아
이정환!!
100 흔들림없는 기둥

이정환!!
와아
KAINAN
10
왜인지는 알고 있겠지?!
이정환!!

웅성
웅성
엉?
웅성
웅성
수군
너 따윌
보러 온 게
아냐.
뭐야,
저 녀석?
잘난체는….
수군
그건 바로
넘버원 수퍼루키,
이 전호장이
들어왔기
때문이다!!
웅성
……
찌릿
웅성
캬캬캬
웅성
크하하핫!
수군
수군
응?

여어~
강백호…!!
뭐야, 넌!
쇼하러
나왔냐?
SHOHOKU
10
KAINAN
10

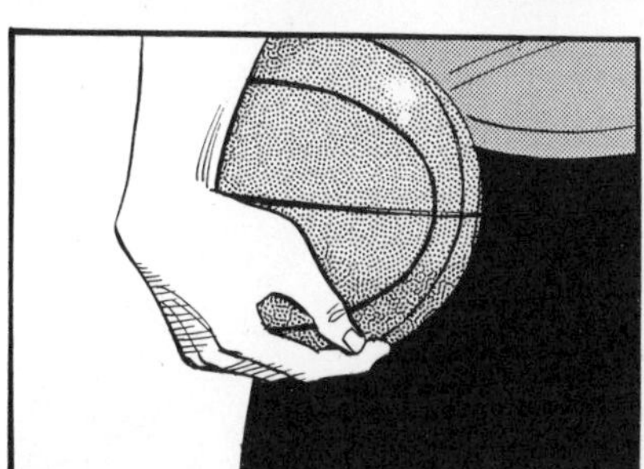

!
탁

으잉?!

헤이!
붕
!!

빨라—

이 똥강아지 녀석….

야!
한마디만
해두마,
강백호!
당…
당…
술렁
술렁
시합 전에
뭐… 뭐하는
거야,
저 두 사람.

당
당
당
다
당
당
당
다
다
당

우왓!

우와아아~!
엄청난
스피드인걸
!!
빨라!!
당
당
당
당
당
당
광장히 이상한
놈이긴 해도
역시
해남이다!
우와아

음….

데구르르

앗!
타악
!

술렁
서태웅…!!
술렁
술렁
술렁
술렁

뭐, 뭐…
뭐야,
이건!?
웅성
시합 전에
이런
짓을….
재밌는걸.
웅성
수군
수군

척
척
잘 들어,
강백호….
한마디만
해두지….

넘버원
수퍼루키는
서태웅이 아냐!!

당연한
소리
하지 마!

엉?
……
척
척
척

!
파ㅅ

빙글
훅훅훅훅!
빙글
훅훅훅!
빙글
빙글빙글

우와아!
저렇게
빠를 수가!!

와아…

훅훅훅훅!
훅훅훅훅!
우와아
아앗!!
공장하다!!
북산도 만만치
않은걸!!
우와아야야야

이게
도대체
…!?
하하핫,
재밌다－!!

헉
헉
헉
넘버원은
서태웅이 아냐!!

호오오~!
그렇구 말구!!

네녀석에겐
절대
지지 않아!!

쿵
!!
!!

!!

우욱….
아이고!

SHOHOKU

저 두 사람….
정말
고등학생 맞나요?
해남과 북산의
커다란 공통점을
발견했어…!!

이정환과 채치수…!!
양팀 모두 전혀
흔들림 없는
큰 기둥을 갖고 있다!!

하지만
저 두 사람이
걸어온
길은 상당히
대조적이야….

한 사람은 1학년 때부터 괴물이라고 불리며, 항상 톱을 달려온 남자….
그리고 또 한 사람은 굉장한 소질을 갖고, 실력으로는 도내 굴지의 플레이어지만,
팀 멤버가 약해, 계속 빛을 못 본 남자….

미안하다.
결례를 범했군.

아냐….
우리야말로….

멍청한 녀석!!
퍼억
바보.
앗!
북산의 수치.

머리속에 뭐가 들었는지 정말 모르겠다니까.
파악
윽…!!

……

백호군!
농구는 언제부터 했지?

엉?

고교때부터
라고….
멍청한
녀석!!
쿵
!!

아저씬
뭐예요!
고교때
부터예요.
얕볼 생각은
아예 마세요!!

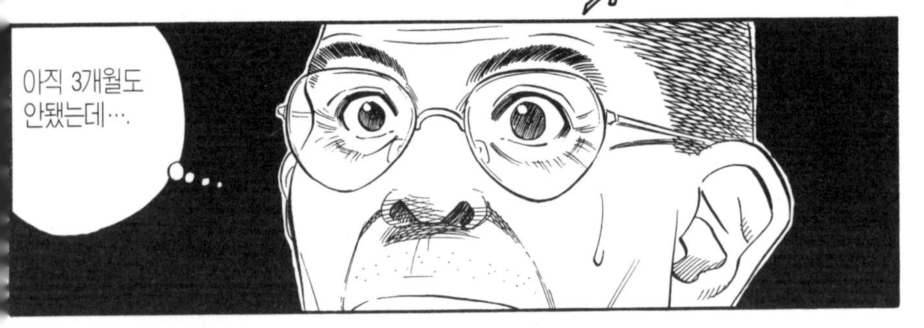
아직 3개월도
안됐는데….

그리고….

고교
마지막 해인
올해.

마침내
채치수도
여기까지 왔다.

자, 이제
시작이야!!
호홋!

자아,
가자!

오오!!
굉장한
팀 메이트를
얻어서…!!

시작
하겠습니다
!!

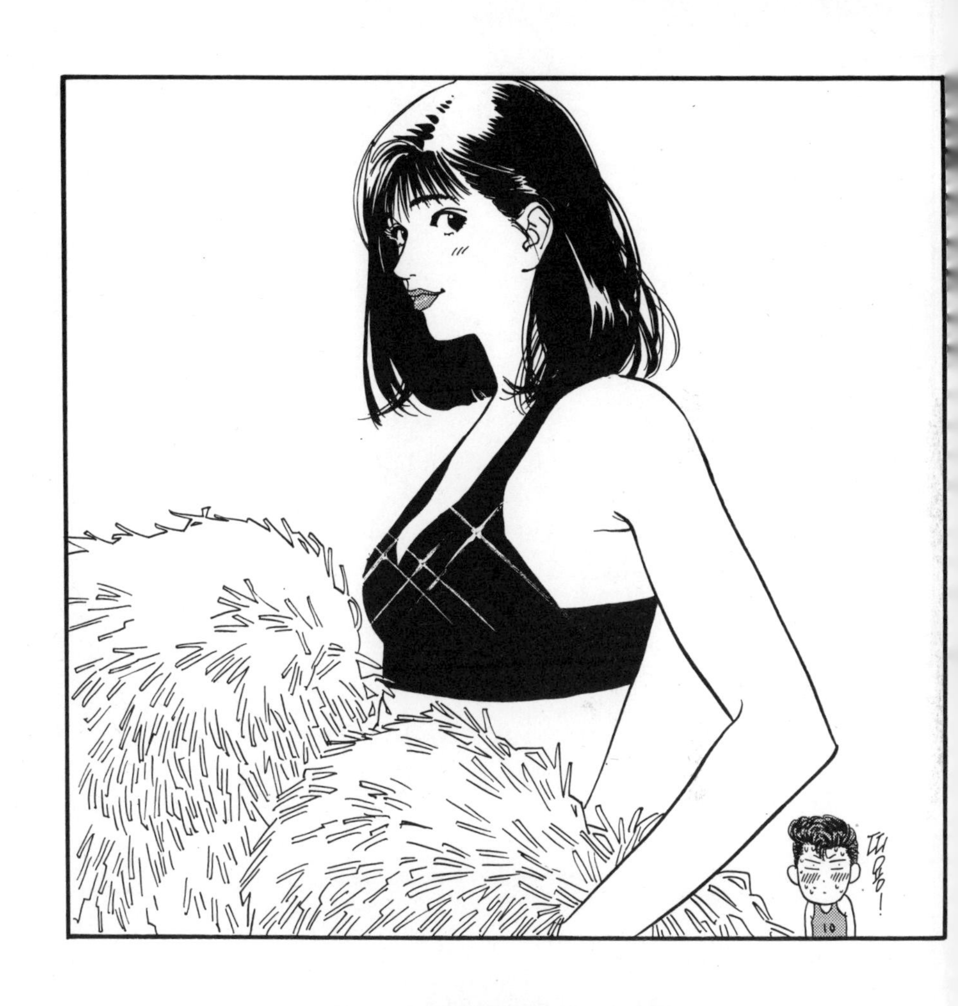

♯101 불타오르는 투지

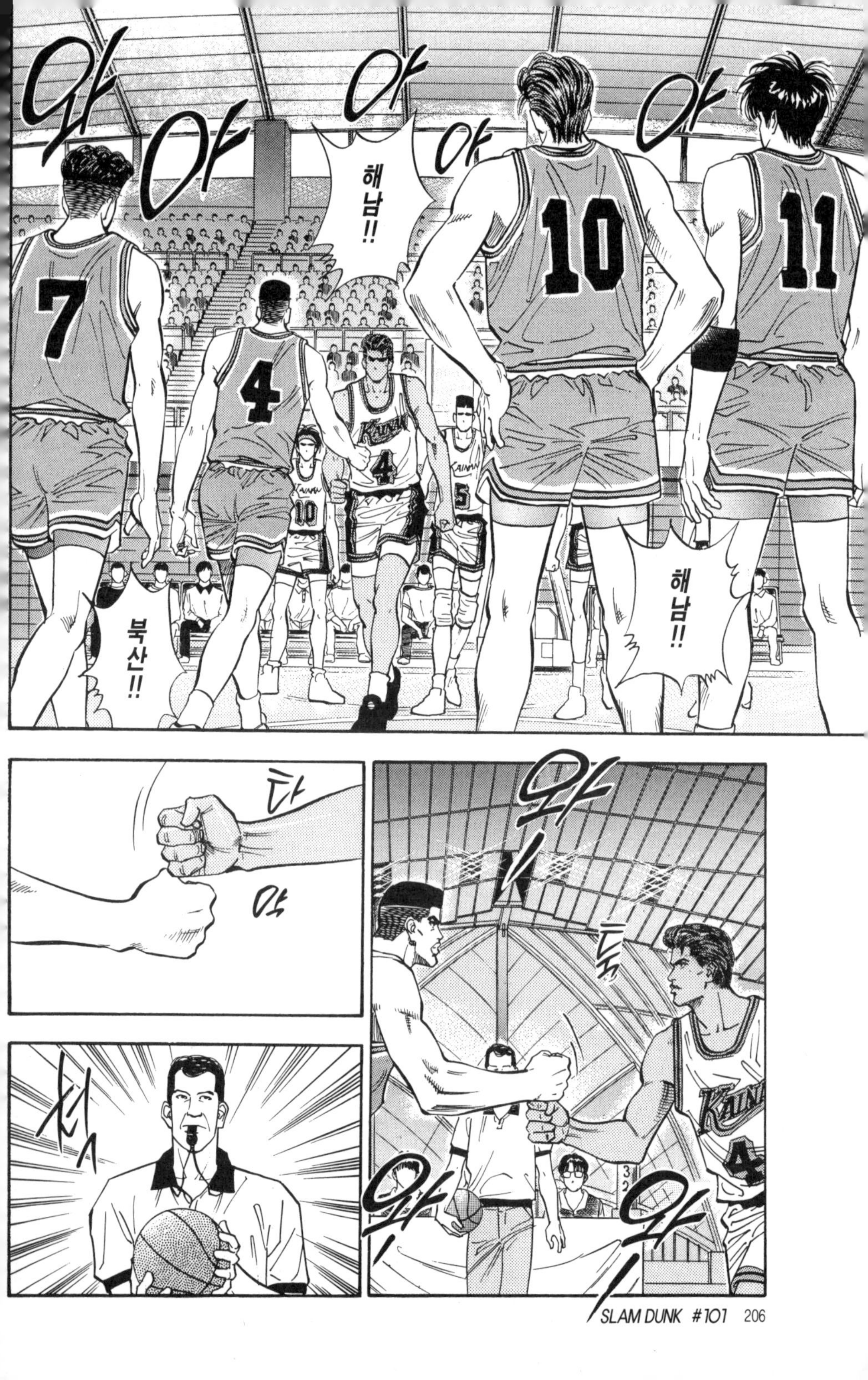
와
아
아
아
아
해남!!
해남!!
북산!!
타
악
와
둑
척
와
와

채치수
파이팅!!
척
척
고민구
파이팅!!
반드시
잡아라!!
상양전을
봤다.
덩크를
할 때의
기분은
어떠냐?
척
너는
말해줘도
몰라!!
두—둥
……
훗…!
과연
유명인…

시작됐다!!
SHOHOKU

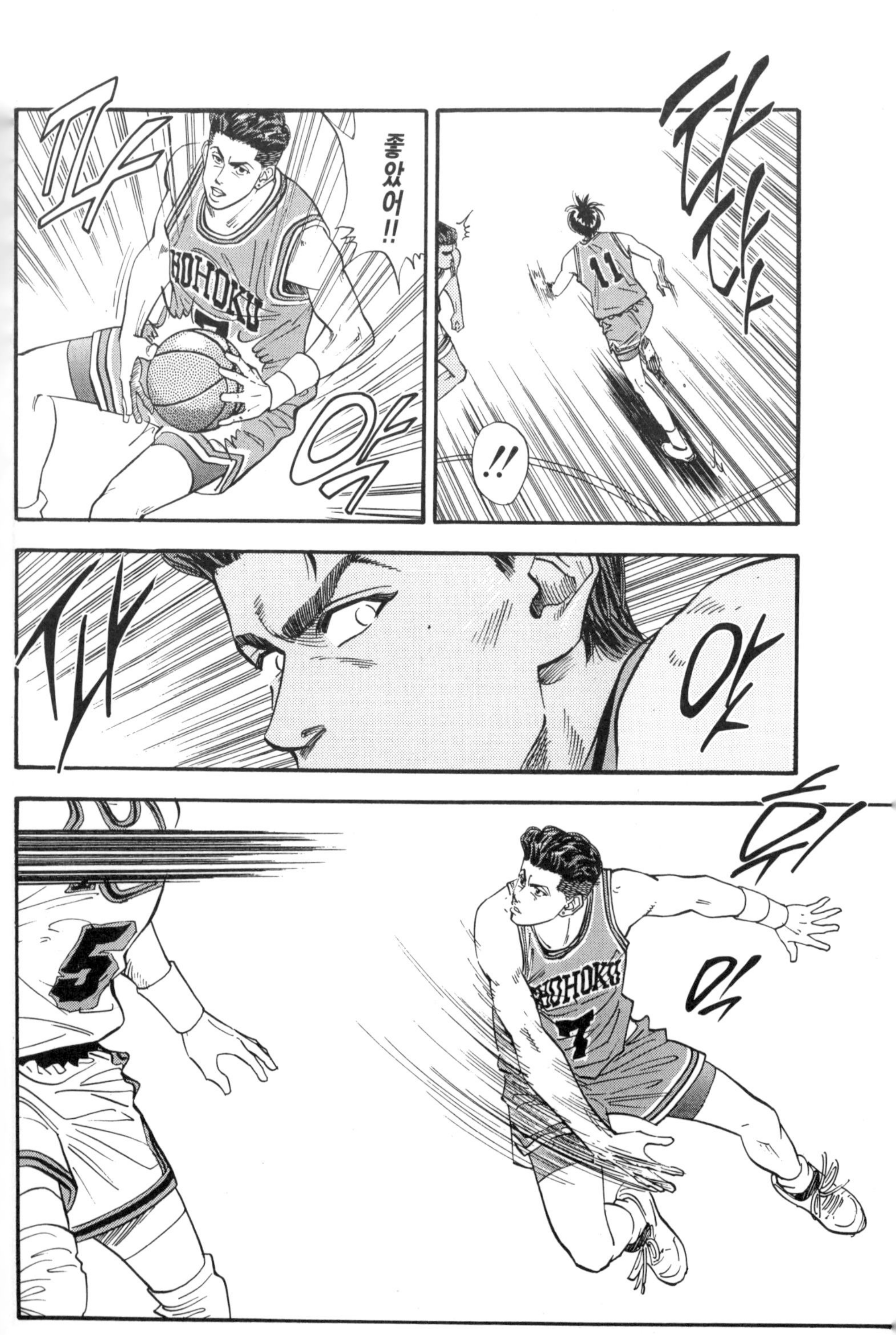
!!
좋았어!!

!!

와아!
나이스
패스!

좋아!!

작전
성공!!

11

아—얏!!
!!
엄청난
점프!!

!!
!!
!!

이정환!!

칫!!

우와! 정환이형!!
좋았어!

휘익

!!

절묘해!!

!!

좋아!!

!!

아앗!!

신준섭!!

좋았어! 준섭이형, 패스!!
아-앗!!
!!

전호장!!
두두두두두
으얏샤!!

거기 서,
원숭이!!
다아앗

누가
원숭이냐!!
다다다다
서라니깐,
야생
원숭이!!

두두두
!!
원숭인
바로 너다!
빨강털
원숭이!!

강백호!!

웃샤!
내게
맡겨!!
!!

아니!?
강백호!!
저, 저, 저…!
벌떡
저렇게 높이!

파앗

백호야!!
좋았어,
강백호!!

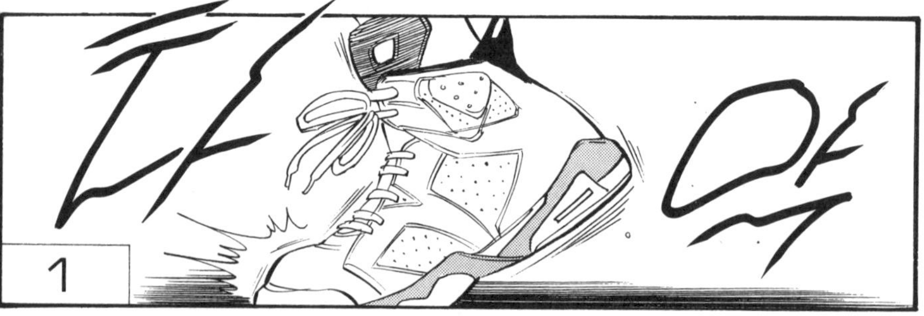

!

워킹이다!!
빠-악
움찔

우와아아아
응?
삐삐 삑!
아아-
아깝다!!
트래블링
이다!!

〈트래블링〉
볼을 들고 3보를 걸어선
안됩니다.
기초예요, 기초!
불불
Dr. T의 도움이 되는 바스켓볼 입문
카카캇!
네녀석의 멍청함
덕분에 살았구나!!
와아
야생
원숭이!!
아아

철썩
!!
깜짝!

………

………

나이스
커트였다!!

──!!

………

엄청난
아이들이야
…!!
시합개시
몇초 지나지
않았는데
관중을 이렇게
긴장시키다니
…!!

술렁
술렁
술렁
이 시합, 초반부터 굉장한걸!
으음….
해남도 굉장하지만, 북산도 그에 못지 않은데…? 이 정도 실력이라면 상양에게 이긴 것도 이해가 돼!
술렁
……
술렁
술렁
고릴라, 오늘따라 투지가 불타오르는 것 같네요?
당연하지! 넌 어때?

훗!

이 천재에게 그런 어리석은 질문을…!!

9 SLAM DUNK(完)

훗
훗
SHOHOKU
10
SHOHOKU
4

SLAM
슬램덩크 완전판 프리미엄
DUNK

슬램덩크 완전판 프리미엄 9

2007년 9월 23일 1판 1쇄 발행 2023년 2월 14일 2판 3쇄 발행

•

저자 ······ TAKEHIKO INOUE

•

발행인 : 황민호
콘텐츠1사업본부장 : 이봉석
책임편집 : 김정택/장숙희
발행처 : 대원씨아이(주)

•

서울특별시 용산구 한강대로 15길 9-12
전화 : 2071-2000 FAX : 797-1023
1992년 5월 11일 등록 제 1992-000026호

•

•

ISBN 979-11-6944-803-1 07830
ISBN 979-11-6944-793-5 (세트)

•

• 문의 : 영업 02-2071-2075 / 편집 02-2071-2116

SD内ランキング
ヘッドバンドの似合う人
1位 清田信長
似合わない人1位
SD内ランキング
耳のでかい人
1位 神宗一郎
2位 相田彦一